MATH 4

A TEACHING TEXTBOOK

MATH 4
ANSWER BOOKLET
Greg Sabouri
Shawn Sabouri
Teaching Textbooks, Inc.
$5.30
Which number is the dividend?
What time is it in New York?
91 books per year
New York
scarves
7 meters
Congruent
34

Math 4: A Teaching Textbook™
Answer Booklet
Greg Sabouri and Shawn Sabouri

Printed in the United States of America.

ISBN: 978-0-9797265-7-6

Teaching Textbooks, Inc.
P. O. Box 60529
Oklahoma City, OK 73146
www.teachingtextbooks.com

Practice 1

a. 11
b. 9 and 6
c. 2 and 8
d. 9 + 7 = 16
e. 14 + 0 = 14

Problem Set 1

1. True
2. False
3. 11
4. 14
5. 13
6. 10
7. 16
8. 15
9. 12
10. 4 and 2
11. 3 and 5
12. 2 and 2
13. 2 and 6
14. 3 and 7
15. 4 + 5 = 9
16. 3 + 2 = 5
17. 5 + 7 = 12
18. 8 + 0 = 8
19. 7 + 2 = 9
20. 1 + 4 = 5
21. 0 + 6 = 6
22. 12 + 0 = 12

Practice 2

a. 18
b. 7 and 7
c. 13
d. 9
e. 7 + 4 = 11

Problem Set 2

1. True
2. True
3. 10
4. 14
5. 15
6. 11
7. 17
8. 19
9. 16
10. 12
11. 13
12. 3 and 6
13. 1 and 7
14. 6 and 6
15. 4
16. 10
17. 2
18. 8
19. 3
20. 4
21. 2 + 6 = 8
22. 8 + 6 = 14

Practice 3

a. 9
b. 8 hundreds 3 tens 9 ones
c. 127
d. 693
e. 39

Problem Set 3

1. True
2. True
3. 13
4. 12
5. 11
6. 16
7. 14
8. 15
9. 10
10. 9
11. 6
12. 9
13. 7
14. 8 tens 5 ones
15. 1 hundred 3 tens 2 ones
16. 7 hundreds 6 tens 9 ones
17. 91
18. 176
19. 523
20. 37
21. 95
22. 48

Practice 4

a. 0
b. 3 hundreds 9 tens 6 ones
c. 5,690
d. 703
e. 948

Problem Set 4

1. True
2. True
3. 6
4. 4
5. 6
6. 11
7. 14
8. 15
9. 4 + 8 = 12
10. 9 + 7 = 16
11. 4
12. 3
13. 0
14. No
15. Yes
16. 7 tens 6 ones
17. 4 hundreds 3 tens 8 ones
18. 176
19. 8,520
20. 502
21. 64
22. 529

Practice 5

a. 3 days
b. 0

c. 2 thousands 3 hundreds 1 ten 5 ones
d. 509
e. 753

Problem Set 5

1. False
2. False
3. 16
4. 13
5. 19
6. 17
7. 12
8. 18
9. 10
10. 7 days
11. 3 days
12. C
13. January, March, May, July, August, October, December
14. April, June, September, and November
15. 6
16. 0
17. 0
18. 9 hundreds 3 tens 5 ones
19. 4 thousands 8 hundreds 7 tens 6 ones
20. 3,780
21. 703
22. 682

Practice 6

a. D
b. 0
c. 3 thousands 2 hundreds 7 tens no ones
d. 4,803
e. 291

Problem Set 6

1. False
2. True
3. False
4. 10
5. 13
6. 14
7. 11
8. 17
9. C
10. A
11. D
12. $6 + 5 = 11$
13. $9 + 6 = 15$
14. E
15. A
16. 2
17. 0
18. 4 hundreds 8 tens 2 ones
19. 6 thousands 3 hundreds 5 tens no ones
20. 2,708
21. 285
22. 427

Practice 7

a. B
b. 0
c. C
d. E
e. 417

Problem Set 7

1. True
2. False
3. 9
4. 11
5. 10
6. 14
7. B
8. 3
9. 0
10. C
11. D
12. E
13. C
14. D
15. A
16. E
17. 9 thousands 1 hundred 5 tens 3 ones
18. 1 hundred 7 tens no ones
19. 536
20. 2,840
21. 42
22. 318

Quiz 1

1. True
2. False
3. 10
4. 12
5. 18
6. 14
7. 6 and 2
8. 0 and 15
9. $8 + 2 = 10$
10. $3 + 4 = 7$
11. 2
12. 4
13. 0
14. 7 tens 3 ones
15. 1 hundred 8 tens 6 ones
16. 5 thousands 6 hundred 9 tens no ones
17. 8,350
18. 207
19. 75
20. 612
21. A
22. 31 days

23. E
24. A

Practice 8

a. 0
b. Yes
c. D
d. 7 thousands 2 hundreds no tens no ones
e. 112

Problem Set 8

1. True
2. False
3. 10
4. 14
5. 4
6. 6
7. 2
8. 7
9. 3
10. 9
11. 1
12. 0
13. A
14. C
15. Yes
16. C
17. E
18. C
19. 1 hundred 3 tens 5 ones
20. 6 thousands 4 hundreds no tens no ones
21. 4,280
22. 211

Practice 9

a. Yes
b. C
c. A
d. C
e. 719

Problem Set 9

1. True
2. True
3. Yes
4. 0
5. 0
6. C
7. D
8. B
9. E
10. A
11. B
12. C
13. D
14. E
15. A
16. 6 hundreds 1 ten 3 ones
17. 8 thousands 4 hundreds 2 tens no ones
18. 3 thousands no hundreds 5 tens no ones
19. 2,950
20. 109
21. 73
22. 816

Practice 10

a. B
b. C
c. E
d. 8 thousands no hundreds no tens 3 ones
e. 204

Problem Set 10

1. False
2. False
3. 5
4. 0
5. B
6. A
7. D
8. B
9. B
10. E
11. D
12. B
13. 8 hundreds 3 tens 7 ones
14. 5 thousands 2 hundreds no tens no ones
15. 9 thousands no hundreds no tens 5 ones
16. B
17. B
18. A
19. A
20. 693
21. 2,510
22. 307

Practice 11

a. B
b. A
c. 9
d. 8
e. 15

Problem Set 11

1. True
2. True
3. 1
4. 2
5. C
6. E
7. C
8. D
9. A
10. E

11. 6 thousands 1 hundred 4 tens 2 ones
12. 7 hundreds no tens 9 ones
13. 8
14. 9
15. 8
16. 4
17. 16
18. 10
19. C
20. C
21. 3,052
22. 815

Practice 12

a. A
b. 6
c. 11
d. 160
e. 900

Problem Set 12

1. False
2. False
3. 1
4. 6
5. 2 thousands 2 hundreds 7 tens 6 ones
6. 7 thousands no hundreds no tens 4 ones
7. C
8. A
9. 9
10. 4
11. 6
12. 7
13. 17
14. 10
15. 60
16. 90
17. 150
18. 110
19. 700
20. 400
21. 5,100
22. 502

Practice 13

a. C
b. 13
c. 900
d. 97
e. 148

Problem Set 13

1. True
2. True
3. 7
4. 0
5. E
6. B
7. 9
8. 8
9. 13
10. 50
11. 80
12. 150
13. 120
14. 800
15. 600
16. 65
17. 89
18. 118
19. 148
20. 119
21. 6,049
22. 907

Practice 14

a. 7
b. 13
c. 700
d. 109
e. 11 model railroad cars

Problem Set 14

1. True
2. False
3. D
4. C
5. 7
6. 3
7. 8
8. 6
9. 7
10. 14
11. 11
12. 3,810
13. 4,116
14. 100
15. 140
16. 900
17. 600
18. 800
19. 78
20. 107
21. 159
22. 12 stuffed animals

Quiz 2

1. True
2. True
3. 7
4. 6
5. 8
6. 5
7. D
8. A
9. D
10. C
11. C
12. A
13. 9
14. 4
15. 15
16. 70
17. 110

18. 400
19. 96
20. 168
21. 139
22. 8,025
23. 406
24. 15 logs

Practice 15

a. 13
b. 167
c. 80
d. C
e. 13 model rockets

Problem Set 15

1. True
2. True
3. C
4. E
5. 9
6. 4
7. 8
8. 14
9. 11
10. 89
11. 176
12. 90
13. 20
14. 70
15. B
16. E
17. A
18. 1,507
19. 9,217
20. 800
21. 900
22. 13 necklaces

Practice 16

a. 15
b. 158
c. E
d. 700
e. 16 goofy hats

Problem Set 16

1. True
2. True
3. 9
4. 4
5. 13
6. 94
7. 149
8. 30
9. 50
10. D
11. B
12. 800
13. 700
14. D
15. B
16. 6 people
17. 5 people
18. 2 people
19. 45 people
20. 65 people
21. 75 people
22. 11 weird pens

Practice 17

a. 5
b. 18
c. 23
d. C
e. 12 army men

Problem Set 17

1. True
2. False
3. 7
4. 6
5. 69
6. 19
7. 17
8. 14
9. 26
10. 18
11. 40
12. 80
13. A
14. E
15. 900
16. 600
17. 5 people
18. 6 people
19. 100 people
20. 120 people
21. 80 people
22. 12 hair ribbons

Practice 18

a. 1,388
b. 879
c. 28
d. A
e. 15 balloon animals

Problem Set 18

1. True
2. False
3. 9
4. 8
5. 1,368
6. 378
7. 1,276
8. 787
9. 19
10. 27
11. D
12. A
13. 800
14. 700
15. C
16. E
17. 7 people
18. 9 people
19. 50 people
20. 75 people
21. 125 people

22. 15 candy bracelets

Practice 19

a. C
b. 989
c. 160
d. E
e. 28 fishing lures

Problem Set 19

1. False
2. True
3. C
4. A
5. 7
6. 15
7. 158
8. 19
9. 769
10. 598
11. 70
12. 130
13. 90
14. 800
15. 700
16. A
17. B
18. 6 people
19. 8 people
20. 180 people
21. 120 people
22. 26 pendants

Practice 20

a. 1,477
b. E
c. $57 < 67$
d. $869 > 698$
e. 48 CDs

Problem Set 20

1. True
2. True
3. C
4. D
5. 8
6. 7
7. 11
8. B
9. E
10. 138
11. 17
12. 368
13. 1,579
14. 800
15. 500
16. B
17. C
18. $11 > 8$
19. $43 < 53$
20. $513 > 397$
21. $657 > 576$
22. 43 skirts

Practice 21

a. A
b. C
c. $739 < 742$
d. 962; 958; 879
e. 28 Easter eggs

Problem Set 21

1. True
2. True
3. B
4. D
5. C
6. C
7. B
8. 7
9. 3
10. 13
11. 89
12. 24
13. 838
14. 1,289
15. D
16. A
17. $234 < 324$
18. $451 > 438$
19. $869 < 873$
20. 349; 361; 501
21. 873; 859; 687
22. 39 fastballs

Quiz 3

1. True
2. True
3. D
4. B
5. A
6. E
7. 800
8. 900
9. 4,906
10. 7,318
11. 7 people
12. 5 people
13. 125 people
14. 50 people
15. 987
16. 1,787
17. 479
18. 16
19. 20
20. $697 < 812$
21. $469 < 496$
22. 859; 861; 902
23. 374; 369; 298
24. 39 waves

Practice 22

a. 838
b. 900
c. $841 > 837$
d. 578; 689; 691
e. 59 bananas

Problem Set 22

1. True
2. True
3. C
4. A
5. 5
6. 8
7. 10
8. 17
9. 968
10. 139
11. 63
12. 933
13. 852
14. 800
15. 900
16. $492 > 487$
17. $786 > 678$
18. 369; 478; 482
19. 120 people
20. 240 people
21. 200 people
22. 37 beach balls

Practice 23

a. 679
b. 852; 741; 739
c. D
d. C
e. 59 collectible stamps

Problem Set 23

1. True
2. False
3. C
4. D
5. 5
6. 9
7. 9
8. 5
9. 17
10. 829
11. 20
12. 82
13. 719
14. A
15. E
16. $587 < 758$
17. $141 > 139$
18. 613; 532; 528
19. C
20. E
21. B
22. 49 laser shields

Practice 24

a. 637
b. C
c. D
d. $\frac{1}{7}$
e. 59 peanuts

Problem Set 24

1. False
2. False
3. C
4. B
5. D
6. 8 people
7. 2 people
8. 20
9. 968
10. 93
11. 756
12. $816 > 681$
13. $279 < 283$
14. $901 > 899$
15. E
16. B
17. A
18. E
19. $\frac{1}{3}$
20. $\frac{1}{5}$
21. $\frac{1}{6}$
22. 39 sandwiches

Practice 25

a. 858
b. D
c. $\frac{3}{7}$
d. $\frac{3}{5}$
e. 37 pieces

Problem Set 25

1. False
2. False
3. B
4. C
5. 789; 791; 810
6. 60 people
7. 100 people
8. D
9. A
10. 6
11. 12
12. 137
13. 659
14. 90
15. 80
16. E
17. B
18. $\frac{1}{4}$
19. $\frac{2}{5}$
20. $\frac{4}{7}$
21. $\frac{2}{9}$
22. 39 ornaments

Practice 26

a. C
b. B
c. D
d. $\frac{5}{9}$
e. 78 pull-ups

Problem Set 26

1. False
2. True
3. E
4. C
5. D
6. B
7. 15
8. 20
9. 669
10. 95
11. C
12. E
13. B
14. D
15. $\frac{1}{6}$
16. $\frac{3}{8}$
17. B
18. A
19. C
20. $\frac{7}{9}$
21. $\frac{5}{6}$
22. 86 miles

Practice 27

a. D
b. D
c. $\frac{8}{13}$
d. 2 inches
e. 77 purses

Problem Set 27

1. True
2. False
3. B
4. $\frac{1}{12}$
5. 4 bicycles
6. 3 bicycles
7. 5
8. 4
9. 138
10. 863
11. $245 < 452$
12. $621 > 619$
13. A
14. E
15. C
16. $\frac{7}{11}$
17. A
18. C
19. B
20. 3 inches
21. 8 feet
22. 76 books

Practice 28

a. 736
b. $\frac{2}{3}$
c. 16
d. 25
e. 58 points

Problem Set 28

1. True
2. True
3. B
4. A
5. B
6. 458
7. E
8. $\frac{3}{4}$
9. 571; 568; 499
10. B
11. B
12. D
13. B
14. E
15. $\frac{1}{3}$
16. $\frac{7}{10}$
17. 6 feet
18. 4 feet
19. 11
20. 14
21. 30
22. 75 flowers

Quiz 4

1. True
2. True
3. D
4. B
5. C
6. 986
7. C
8. B
9. 689; 692; 701
10. B
11. 898
12. 93
13. 857
14. E
15. B
16. $\frac{1}{6}$

17. $\frac{3}{5}$
18. $\frac{3}{8}$
19. $\frac{7}{9}$
20. 4 inches
21. 5 feet
22. 12
23. 20
24. 63 Christmas cookies

Practice 29

a. E
b. 639
c. 78
d. 75
e. 95 boxes

Problem Set 29

1. C
2. C
3. E
4. 589; 598; 603
5. $\frac{2}{7}$
6. 7 inches
7. 6
8. 13
9. 869
10. 64
11. 778
12. 67
13. 93
14. 68
15. D
16. B
17. C
18. $\frac{2}{13}$
19. $\frac{5}{14}$
20. 13
21. 55
22. 82 practice free throws

Practice 30

a. A
b. 143
c. 166
d. 18
e. 44 pair of socks

Problem Set 30

1. True
2. False
3. D
4. 206
5. C
6. 5
7. 14
8. 40 walkie-talkies
9. 90 walkie-talkies
10. $783 < 837$
11. $206 < 210$
12. 17
13. 126
14. 132
15. 181
16. 76
17. 95
18. D
19. B
20. 16
21. 8
22. 43 pieces of firewood

Practice 31

a. 161
b. $\frac{5}{13}$
c. 63¢
d. C
e. 78 bonsai trees

Problem Set 31

1. False
2. False
3. B
4. B
5. 501; 354; 345
6. D
7. B
8. 9
9. 14
10. 134
11. 146
12. 160
13. 74
14. 98
15. C
16. A
17. E
18. $\frac{7}{12}$
19. $\frac{9}{13}$
20. 75¢
21. E
22. 40 coffee mugs

Practice 32

a. D
b. 169
c. 1 quarter 2 dimes 2 pennies
d. 2 quarters 1 dime 1 nickel
e. 58 golf tees

Problem Set 32

1. C
2. B
3. B
4. A
5. $\frac{4}{7}$
6. 718; 724; 1,003
7. 8
8. 12
9. $\frac{1}{3}$
10. $\frac{5}{8}$
11. 146
12. 151
13. 181
14. 97
15. 99
16. E
17. A
18. 18
19. 10
20. 1 quarter 3 pennies
21. 2 quarters 2 dimes 3 pennies
22. 59 buttons

Practice 33

a. 90
b. 300
c. 44¢
d. 2 quarters 2 dimes 1 penny
e. 45 scarves

Problem Set 33

1. B
2. 680
3. $\frac{7}{11}$
4. 531; 529; 489
5. 5 inches
6. E
7. $\frac{5}{12}$
8. 4 cars
9. 5 cars
10. 986
11. 200
12. 79
13. 86
14. 70
15. 60
16. 100
17. 4
18. 500
19. 75¢
20. B
21. 1 quarter 2 dimes 3 pennies
22. 43 cans of soup

Practice 34

a. 499
b. 80
c. 74
d. 3 quarters 1 nickel 2 pennies
e. 45 sock puppets

Problem Set 34

1. True
2. False
3. E
4. B
5. D
6. $\frac{3}{8}$
7. 394 < 439
8. C
9. $\frac{1}{4}$
10. $\frac{5}{6}$
11. 132
12. 234
13. 362
14. 60
15. 500
16. 21
17. 43
18. 15
19. 92¢
20. D
21. 3 quarters 1 dime 1 nickel 1 penny
22. 46 costumes

Practice 35

a. 9,060
b. 90
c. 23
d. 2 quarters 1 dime 1 nickel 2 pennies
e. 12 loaves of bread

Problem Set 35

1. C
2. 2,070
3. $\frac{7}{12}$
4. $\frac{7}{29}$
5. B
6. 397; 413; 431
7. C
8. 10 inches
9. 60 bouquets
10. 20 bouquets
11. 3
12. 12
13. 18
14. 400
15. 80
16. 400

17. 42
18. 32
19. 67¢
20. 3 quarters 1 nickel 4 pennies
21. 1 quarter 2 dimes 1 penny
22. 6 coconuts

Quiz 5

1. False
2. True
3. C
4. 6,030
5. $\frac{11}{12}$
6. $\frac{8}{13}$
7. 801; 694; 649
8. E
9. 122
10. 142
11. 621
12. 89
13. 74
14. 79
15. 95¢
16. B
17. 1 quarter 1 dime 1 penny
18. 3 quarters 1 nickel 2 pennies
19. 30
20. 80
21. 300
22. 53
23. 31
24. 8 stickers

Practice 36

a. 84¢
b. 479
c. 11 P.M.
d. 10:07 P.M.
e. 7 screwdrivers

Problem Set 36

1. False
2. True
3. B
4. B
5. $\frac{5}{9}$
6. $978 < 1,001$
7. C
8. D
9. 63¢
10. D
11. C
12. 180
13. 416
14. 40
15. 400
16. 12
17. 23
18. 6 A.M.
19. 10 P.M.
20. 5:19 A.M.
21. 8:03 P.M.
22. 8 pairs of glitter shoes

Practice 37

a. E
b. 182
c. 1 quarter 1 nickel 3 pennies
d. C
e. 22 cheese bits

Problem Set 37

1. False
2. True
3. 704
4. B
5. 1,010; 982; 979
6. 6 inches
7. 3
8. $\frac{3}{4}$
9. $\frac{5}{8}$
10. 181
11. 155
12. 68
13. 87
14. B
15. 2 quarters 1 nickel 3 pennies
16. 7:24 A.M.
17. 11:09 P.M.
18. B
19. C
20. D
21. E
22. 13 French fries

Practice 38

a. 369
b. B
c. C
d. E
e. 13 ribbons

Problem Set 38

1. False
2. True
3. C
4. $\frac{6}{13}$
5. $\frac{8}{15}$
6. A
7. $867 > 678$
8. B
9. 8
10. 16
11. 200 tickets

12. 200 tickets
13. 768
14. 858
15. 50
16. 400
17. C
18. E
19. D
20. B
21. A
22. 11 pencils

Practice 39

a. 4,090
b. 186
c. 271
d. 361
e. 22 treats

Problem Set 39

1. False
2. True
3. D
4. 3,050
5. D
6. 302; 261; 258
7. C
8. 122
9. 133
10. 40
11. 500
12. 53
13. 413
14. 626
15. 252
16. A
17. C
18. C
19. E
20. 71¢
21. 2 quarters 1 nickel 2 pennies
22. 22 potential targets

Practice 40

a. 76
b. 79
c. 521
d. C
e. 21 free throws

Problem Set 40

1. True
2. True
3. E
4. B
5. 13
6. $\frac{9}{14}$
7. $596 < 659$
8. E
9. 50
10. 68
11. 87
12. 79
13. 70
14. 300
15. 24
16. 342
17. 952
18. 9:13 A.M.
19. 2:04 P.M.
20. E
21. D
22. 23 miles

Practice 41

a. 87
b. 96
c. 317
d. E
e. 14 ears of corn

Problem Set 41

1. False
2. True
3. A
4. B
5. C
6. $\frac{3}{7}$
7. E
8. $\frac{5}{6}$
9. $\frac{7}{10}$
10. 84
11. 79
12. 342
13. 723
14. D
15. C
16. A
17. D
18. E
19. A
20. 88¢
21. 2 quarters 2 dimes 4 pennies
22. 12 thumb tacks

Practice 42

a. 222
b. $5+5$
c. 8×6
d. E
e. 21 kinds of tea

Problem Set 42

1. True
2. True
3. B
4. 902
5. C
6. 9 inches

7. $\frac{3}{5}$
8. 816; 820; 1,001
9. D
10. 69
11. 98
12. 362
13. 312
14. $7+7+7+7$
15. $9+9+9$
16. 6×3
17. 7×5
18. 9×8
19. A
20. B
21. C
22. 20 different brands

Quiz 6

1. True
2. True
3. 7,020
4. $\frac{5}{7}$
5. D
6. 177
7. 891
8. 86
9. 97
10. 60
11. 200
12. 43
13. 218
14. 145
15. $5+5+5$
16. $8+8+8+8$
17. 5×9
18. 7×4
19. D
20. E
21. B
22. E
23. C
24. 21 necklaces

Practice 43

a. 188
b. $9\times6=54$
c. 17
d. 0
e. 7 nuts

Problem Set 43

1. True
2. True
3. E
4. B
5. $\frac{9}{14}$
6. D
7. 132
8. 337
9. 190
10. $5+5+5+5$
11. $8+8+8+8+8+8$
12. 6×2
13. 3×11
14. $6\times8=48$
15. $9\times5=45$
16. 0
17. 14
18. 0
19. D
20. B
21. E
22. 9 paper airplanes

Practice 44

a. 813
b. 154
c. 25
d. 90
e. 23 tulips

Problem Set 44

1. True
2. True
3. A
4. B
5. 71¢
6. 146
7. 215
8. $6+6+6$
9. $12+12+12+12$
10. 8×7
11. 5×13
12. $3\times4=12$
13. $8\times9=72$
14. 0
15. 132
16. 20
17. 35
18. 60
19. E
20. B
21. C
22. 12 songs

Practice 45

a. 19
b. 471
c. 80
d. C
e. 75 coins

Problem Set 45

1. True
2. True
3. 690
4. C
5. $\frac{7}{8}$
6. $362>359$
7. 5
8. 7
9. 13
10. 16

11. 102
12. 257
13. $4 \times 8 = 32$
14. $9 \times 6 = 54$
15. 72
16. 0
17. 10
18. 30
19. 40
20. E
21. C
22. 79 precious jewels

Practice 46

a. D
b. Even
c. 22
d. 60
e. 23 dog bones

Problem Set 46

1. True
2. True
3. $\frac{7}{15}$
4. E
5. 6×12
6. C
7. 1 quarter 1 dime 1 nickel 2 pennies
8. 8
9. 19
10. Odd
11. Even
12. 11
13. 28
14. 76
15. 788
16. 247
17. 414
18. 34
19. 0
20. 30
21. 55
22. 25 pancakes

Practice 47

a. Even
b. 19
c. 16
d. 36
e. 43 sunflower seeds

Problem Set 47

1. True
2. True
3. C
4. 602; 516; 506
5. 12
6. 18
7. Even
8. Odd
9. 15
10. 18
11. 78
12. 68
13. 90
14. 700
15. 0
16. 64
17. 15
18. 90
19. 14
20. 16
21. 32
22. 42 hockey pucks

Practice 48

a. B
b. 48
c. 24
d. 72
e. 34 jumps

Problem Set 48

1. True
2. False
3. D
4. C
5. 11
6. 17
7. 21
8. 24
9. 682
10. 241
11. B
12. E
13. $6 \times 4 = 24$
14. $9 \times 7 = 63$
15. 30
16. 70
17. 12
18. 44
19. 18
20. 40
21. 56
22. 31 miles

Practice 49

a. 2:40 P.M.
b. 417
c. 270
d. 24
e. 66 gumdrops

Problem Set 49

1. False
2. True
3. 8,020
4. $\frac{9}{17}$
5. 4:26 P.M.
6. 12:50 P.M.
7. Odd
8. Even
9. 144
10. 812

11. 8+8+8+8+8
12. 12+12+12
13. 69
14. 20
15. 230
16. 8
17. 28
18. 48
19. 12
20. 18
21. 21
22. 64 books

Quiz 7

1. True
2. True
3. B
4. $\frac{5}{6}$
5. D
6. Even
7. 17
8. 9
9. 15
10. 143
11. 483
12. 611
13. 824
14. 0
15. 67
16. 35
17. 180
18. 10
19. 24
20. 42
21. 32
22. 9
23. 27
24. 12 wheelbarrows

Practice 50

a. 38
b. 33
c. 36
d. 132
e. 25 balloons

Problem Set 50

1. True
2. False
3. C
4. $710 > 708$
5. E
6. 79¢
7. A
8. B
9. 27
10. 32
11. 80
12. 200
13. 6×7
14. 5×16
15. 54
16. 64
17. 15
18. 30
19. 18
20. 55
21. 121
22. 22 jars of paint

Practice 51

a. D
b. 178
c. 63
d. 96
e. 71 rooms

Problem Set 51

1. $\frac{3}{16}$
2. D
3. C
4. A
5. 10
6. 14
7. 121
8. 219
9. 417
10. 115
11. $4 \times 5 = 20$
12. $9 \times 3 = 27$
13. 30
14. 48
15. 12
16. 21
17. 81
18. 66
19. 42
20. 24
21. 84
22. 56 decorations

Practice 52

a. B
b. 848
c. 410
d. 144
e. 24 sandbags

Problem Set 52

1. True
2. True
3. C
4. 836; 863; 902
5. E
6. 120
7. 407
8. 60
9. 200
10. Even
11. Odd
12. 30
13. 390
14. 72
15. 77
16. 28
17. 72
18. 18

19. 45
20. 81
21. 132
22. 32 cartwheels

Practice 53

a. 108
b. 276,000
c. C
d. B
e. 63 soap bubbles

Problem Set 53

1. True
2. False
3. C
4. E
5. 42
6. 47
7. 365
8. 931
9. 22
10. 20
11. 49
12. 36
13. 32
14. 60
15. 96
16. 358
17. 821,376,259
18. 498,000
19. C
20. B
21. E
22. 56 bags of potato chips

Practice 54

a. 856
b. 391,000
c. E
d. C
e. 14 paper plates

Problem Set 54

1. True
2. False
3. D
4. 3 quarters 1 dime 1 penny
5. 472
6. 131
7. 700
8. 50
9. 600
10. 12
11. 27
12. 54
13. 88
14. 22
15. 60
16. 614,287,539
17. 745,000
18. D
19. E
20. D
21. B
22. 24 energy packs

Practice 55

a. 147
b. D
c. 31,000
d. 190,000
e. 82 houses

Problem Set 55

1. True
2. True
3. $\frac{5}{8}$
4. 300
5. B
6. Odd
7. 43
8. 131
9. 66
10. 56
11. 15
12. 81
13. 296,715,869
14. 351,000
15. 125
16. A
17. C
18. 800
19. 29,000
20. 50,000
21. 180,000
22. 81 nuts

Practice 56

a. 375,824
b. 48,000
c. 360,000
d. 56,000
e. 28 chocolates

Problem Set 56

1. True
2. False
3. $\frac{7}{12}$
4. $437 > 374$
5. E
6. 9
7. 15
8. 7×13
9. 4×24
10. 40
11. 54
12. 63
13. 55
14. 126,975
15. 483,000,000
16. C
17. D

18. 40,000
19. 35,000
20. 240,000
21. 54,000
22. 23 animal dialects

Quiz 8

1. False
2. True
3. $\frac{11}{12}$
4. D
5. 583
6. 102
7. 430
8. 63
9. 33
10. 42
11. 108
12. 25
13. 96
14. 352,759,486
15. 471,000
16. E
17. C
18. B
19. D
20. 23,000
21. 570,000
22. 270,000
23. 48,000
24. 72 flowers

Practice 57

a. D
b. 24,000
c. 28
d. D
e. 83 buttons

Problem Set 57

1. True
2. True
3. D
4. E
5. Odd
6. B
7. 734
8. 530
9. 18
10. 40
11. 712,495,364
12. 857,000,000
13. 34,000
14. 12,000
15. 160,000
16. 35,000
17. 6
18. 12
19. 24
20. E
21. C
22. 91 packages

Practice 58

a. 753
b. 32,000
c. 93
d. 1,836
e. 41 seashells

Problem Set 58

1. True
2. True
3. B
4. E
5. 15
6. 48
7. 56
8. 54
9. 213,854
10. 428
11. 600
12. 540,000
13. 210,000
14. 72,000
15. 96
16. 88
17. 1,226
18. 1,263
19. 12
20. 27
21. C
22. 23 painted postcards

Practice 59

a. 55¢
b. 20,000
c. 3,648
d. 21 potato chip bags
e. 40 chorus ducks

Problem Set 59

1. False
2. True
3. 80¢
4. 73¢
5. 48
6. 21
7. 24
8. C
9. E
10. 42,000
11. 260,000
12. 10,000
13. 36,000
14. 66
15. 105
16. 2,436
17. 2,884
18. 24
19. 36
20. 12 baseball bats
21. 12 bottles of hot sauce
22. 20 chairs

Practice 60

a. 720,000
b. 3,288
c. 243
d. 24 pickles
e. 42 donuts

Problem Set 60

1. True
2. True
3. D
4. D
5. 20
6. 15
7. 36
8. 192,348,637
9. 823,000
10. 8,000
11. 320,000
12. 300,000
13. 12,000
14. 128
15. 262
16. 966
17. 2,448
18. 48
19. 84
20. 216
21. 18 tennis balls
22. 35 cookies

Practice 61

a. B
b. 42,000
c. 365
d. 951
e. 30 dodgeballs

Problem Set 61

1. True
2. True
3. D
4. 762; 726; 672
5. Odd
6. C
7. 28
8. 72
9. 10
10. $2+2+2+2+2$
11. $17+17+17+17$
12. 18,000
13. 70,000
14. 54,000
15. 150,000
16. 848
17. 252
18. 852
19. 654
20. 84
21. 63
22. 15 light bulbs

Practice 62

a. 58
b. 321
c. 430,000
d. 984
e. 14 truffles

Problem Set 62

1. True
2. True
3. E
4. $\frac{4}{13}$
5. 3:45 P.M.
6. 21
7. 37
8. 35
9. 384
10. 145
11. 36
12. 99
13. 36
14. 1,500
15. 380,000
16. 14,000
17. 24,000
18. 455
19. 138
20. 924
21. 694
22. 20 buttons

Practice 63

a. 313
b. 150,000
c. 2,688
d. 5
e. 49 bottles of cola

Problem Set 63

1. True
2. False
3. 51
4. C
5. 19
6. 56
7. 187
8. 328
9. 18
10. 35
11. 56
12. 900
13. 54,000
14. 480,000
15. 104
16. 360
17. 1,686
18. 5
19. 7
20. 5
21. 4
22. 25 boxes of cereal

Quiz 9

1. True
2. True
3. Odd
4. 849
5. 47¢
6. 24
7. 178
8. 418
9. 350,000
10. 280,000
11. 36,000
12. 8
13. 32
14. D
15. 639
16. 156
17. 3,648
18. 3,246
19. 126
20. 144
21. 6
22. 5
23. 9
24. 48 crumpets

Practice 64

a. 435
b. 1,281
c. 8
d. E
e. 42 stamps

Problem Set 64

1. True
2. True
3. D
4. E
5. 17
6. 492
7. 464
8. 17,000
9. 160,000
10. 287
11. 87
12. 1,056
13. 4
14. 7
15. 6
16. 4
17. 2
18. 6
19. C
20. E
21. B
22. 32 stickers

Practice 65

a. 608
b. 4,878
c. 32
d. 4
e. 45 soldiers

Problem Set 65

1. True
2. False
3. 350
4. 62¢
5. B
6. 33
7. 194
8. 415
9. 215
10. 844
11. 1,498
12. 3
13. 5
14. 54
15. 3
16. 6
17. 7
18. 9
19. 9
20. D
21. B
22. 36 mice

Practice 66

a. 549
b. 9,582
c. 5,408
d. 6
e. 27 pieces of fruit

Problem Set 66

1. False
2. True
3. E
4. A
5. 27
6. 667
7. 425
8. 12
9. 24
10. 49,000
11. 15,000
12. 180
13. 1,432
14. 3,855
15. 9,724
16. 2
17. 42
18. 3
19. 3
20. 7
21. 6
22. 16 birds

Practice 67

a. 154
b. 9,947
c. B
d. C
e. 16 times

Problem Set 67

1. True
2. True
3. 943
4. 38
5. 143
6. 763
7. 70
8. 160
9. 488
10. 915
11. 972
12. 8,155
13. 3
14. 60
15. 5
16. 9
17. B
18. C
19. D
20. E
21. B
22. 23 paper snowflakes

Practice 68

a. 129
b. 1,568
c. 28,040
d. 80°
e. 83 sheep

Problem Set 68

1. False
2. True
3. 47
4. 779
5. 658
6. 78
7. 6,248
8. 2,288
9. 13,530
10. 7
11. 8
12. B
13. D
14. C
15. B
16. B
17. D
18. C
19. 10°
20. 60°
21. 70°
22. 93 wildflowers

Practice 69

a. 406
b. 9,228
c. 10
d. 110°
e. 54 photos

Problem Set 69

1. True
2. True
3. D
4. $\frac{9}{17}$
5. B
6. 59
7. 801
8. 243
9. 404
10. 460,000
11. 18,000
12. 203
13. 3,404
14. 7,518
15. 8
16. 10
17. E
18. B
19. 50°
20. 130°
21. 160°
22. 21 flowers

Practice 70

a. 9,588
b. 6
c. 140°
d. A
e. 83 earthworms

Problem Set 70

1. True
2. True
3. D
4. A
5. 22
6. 1,107
7. 109
8. 722
9. 156
10. 4,020
11. 4,750
12. 2
13. 6
14. B
15. E
16. 40°
17. 150°
18. 120°
19. C
20. E
21. B
22. 81 trick plays

Quiz 10

1. True
2. True
3. 27
4. 393
5. 486
6. 235
7. 5,196
8. 8,632

9. 3
10. 5
11. 4
12. 7
13. 72
14. D
15. B
16. B
17. D
18. E
19. C
20. 70°
21. 90°
22. 170°
23. C
24. 28 gummy lions

Practice 71

a. 108
b. 6,600
c. B
d. D
e. 27 sticky notes

Problem Set 71

1. False
2. True
3. 425; 452; 502
4. $\frac{9}{10}$
5. B
6. 462
7. 373
8. 504
9. 993
10. 340
11. 6,120
12. 3
13. 8
14. C
15. A
16. 180°
17. 20°
18. D
19. E
20. B
21. C
22. 26 copies

Practice 72

a. 343
b. 8,886
c. A
d. E
e. 132 miles

Problem Set 72

1. False
2. False
3. 710
4. 48¢
5. 7:50 A.M.
6. 219
7. 1,034
8. 361
9. 710,000
10. 400,000
11. 2,826
12. 8,256
13. 8,205
14. 60°
15. 130°
16. A
17. B
18. D
19. E
20. D
21. B
22. 133 donations

Practice 73

a. 359
b. 10,514
c. B
d. D
e. 13 fudge brownies

Problem Set 73

1. True
2. True
3. E
4. 84¢
5. Even
6. 67
7. 813
8. 238
9. 756
10. 2,876
11. 10,818
12. 30°
13. 100°
14. E
15. C
16. B
17. C
18. A
19. A
20. D
21. C
22. 18 boulders

Practice 74

a. 294
b. 15,207
c. A
d. D
e. 12 cupcakes

Problem Set 74

1. True
2. False
3. 24
4. D
5. 236
6. 530
7. 253
8. 4×9

9. 6×18
10. 6,391
11. 8,174
12. C
13. A
14. B
15. B
16. E
17. B
18. A
19. D
20. B
21. E
22. 24 artillery shells

Practice 75

a. 524
b. 9,884
c. C
d. A
e. 82 words

Problem Set 75

1. True
2. False
3. $1,320 > 969$
4. A
5. 920
6. 746
7. 155
8. 72,000
9. 120,000
10. 1,491
11. 9,404
12. 4
13. 9
14. C
15. D
16. D
17. B
18. A
19. D
20. B
21. E
22. 90 tackles

Practice 76

a. 338
b. 1,683
c. 20
d. 30 yards
e. 26 signs

Problem Set 76

1. True
2. True
3. C
4. $\frac{7}{18}$
5. 361
6. 457
7. 365
8. 2,208
9. 1,791
10. 3
11. 8
12. B
13. A
14. C
15. D
16. D
17. B
18. 24
19. 17 inches
20. 32 feet
21. 20 yards
22. 19 towels

Practice 77

a. 304
b. 6,328
c. 16 square feet
d. 24 square inches
e. 84 rounds

Problem Set 77

1. True
2 False
3. 1 quarter 2 dimes
4. 78
5. 815
6. 407
7. 6,042
8. 7,688
9. 60°
10. 110°
11. C
12. B
13. A
14. D
15. 14 feet
16. 36 inches
17. 24
18. 6 square yards
19. 20 square inches
20. 9 square feet
21. 36 square inches
22. 81 dishes

Quiz 11

1. True
2. True
3. 855
4. 258
5. 6,008
6. 8,118
7. C
8. A
9. B
10. C
11. E
12. D
13. B
14. C
15. C
16. E
17. E
18. D

19. 21 inches
20. 32
21. 24 feet
22. 21 square feet
23. 25 square inches
24. 54 cans of soda pop

Practice 78

a. 10,720
b. 20 feet
c. 81 square feet
d. 112 square inches
e. 24 free throws

Problem Set 78

1. True
2. True
3. D
4. 299; 306; 310
5. 208
6. 357
7. 7,200
8. 60,000
9. 24,000
10. 333
11. 10,280
12. D
13. B
14. B
15. E
16. 18 feet
17. 24 yards
18. 12 square feet
19. 45 square inches
20. 49 square feet
21. 105 square inches
22. 44 sugar cookies

Practice 79

a. 3,241
b. 40
c. 121 square feet
d. C
e. 738 craters

Problem Set 79

1. True
2. True
3. D
4. 57¢
5. 960,000
6. 1,251
7. 229
8. 602
9. 2,952
10. B
11. D
12. A
13. D
14. 15 inches
15. 30
16. 28 square yards
17. 96 square inches
18. 100 square yards
19. B
20. A
21. B
22. 548 cases of flu

Practice 80

a. 259
b. 28,875
c. 56
d. 78 square inches
e. 62 batteries

Problem Set 80

1. E
2. C
3. Even
4. 21
5. 1,251
6. 94
7. 287
8. 455
9. 387
10. 25,008
11. 4
12. 6
13. C
14. D
15. 21 yards
16. 31 inches
17. 48
18. 18 square feet
19. 55 square inches
20. B
21. A
22. 48 racquetballs

Practice 81

a. 393
b. A
c. 40
d. 84 square inches
e. 589 defective dolls

Problem Set 81

1. True
2. False
3. 862
4. 400
5. E
6. 171
7. 276
8. 246
9. 127
10. 56,000
11. 480,000
12. 7,659
13. 6,818
14. D
15. E
16. B
17. 20 inches
18. 26 feet
19. 24

20. 25 square yards
21. 48 square inches
22. 399 supercomputers

Practice 82

a. 3,451
b. Yes
c. No
d. 70 square feet
e. 54 hors d'oeuvres

Problem Set 82

1. True
2. True
3. 1,037
4. 272
5. 177
6. 399
7. 623
8. 2,232
9. A
10. C
11. D
12. Yes
13. Yes
14. Yes
15. No
16. 40 inches
17. 35 yards
18. 40 square feet
19. 136 square yards
20. C
21. B
22. 24 burger biscuits

Practice 83

a. 9,527
b. 51 feet
c. 5 yards
d. 12 inches
e. 39 rainbow-colored sugar puffs

Problem Set 83

1. True
2. False
3. 1,476
4. 240
5. 443
6. 438
7. 8,946
8. E
9. B
10. Yes
11. No
12. No
13. Yes
14. 16
15. 48 inches
16. 36 square yards
17. 32 square feet
18. 3 inches
19. 4 yards
20. 6 feet
21. 14 inches
22. 28 bottles

Practice 84

a. 3,616
b. 9 inches
c. 4 people
d. 20 dogs
e. 172 tree holes

Problem Set 84

1. True
2. False
3. 256
4. 466
5. 576
6. 2,682
7. D
8. C
9. Yes
10. No
11. 54
12. 56 feet
13. 48 square yards
14. 50 square inches
15. 4 feet
16. 8 yards
17. 5 feet
18. 18 inches
19. 3 people
20. 7 people
21. 12 people
22. 125 dirt clods

Quiz 12

1. True
2. True
3. 562
4. 449
5. 184
6. E
7. A
8. Yes
9. No
10. No
11. Yes
12. 27 yards
13. 36
14. 64 square inches
15. 108 square feet
16. B
17. D
18. 5 yards
19. 7 inches
20. 4 feet
21. 16 yards
22. 9 people
23. 23 horses
24. 598 flowers

Practice 85

a. 267

b. 11,016
c. 52 feet
d. 12 yards
e. 64 cupcakes

Problem Set 85

1. C
2. 27
3. 559
4. 392
5. 153
6. 323
7. 344
8. 8,229
9. A
10. E
11. 43
12. 42 yards
13. 27 square inches
14. 35 square feet
15. 7 yards
16. 10 inches
17. 9 feet
18. 20 yards
19. 4 people
20. 8 people
21. 22 flowers
22. 63 blankets

Practice 86

a. 327
b. $9.53
c. $0.46
d. 5 yards
e. 123 robot paratroopers

Problem Set 86

1. True
2. True
3. 1,457
4. 57
5. 337
6. 257
7. 49,000
8. 420,000
9. $1.25
10. $4.52
11. $8.71
12. $0.32
13. $0.65
14. 32 yards
15. 41
16. 70 square feet
17. 36 square inches
18. 8 feet
19. 11 yards
20. 9 people
21. 17 doctors
22. 131 turtle tourists

Practice 87

a. $14.27
b. $23.42
c. 6,428
d. $0.78
e. $15.75

Problem Set 87

1. True
2. True
3. $13.35
4. $14.32
5. $12.23
6. $22.87
7. 249
8. 1,015
9. 7,224
10. $7.12
11. $15.90
12. $0.26
13. $0.41
14. 28 inches
15. 18
16. 63 square feet
17. 90 square yards
18. 7 inches
19. 22 feet
20. 5 people
21. 20 people
22. $12.25

Practice 88

a. E
b. $52.14
c. 26,160
d. $0.26
e. $13.20

Problem Set 88

1. B
2. Even
3. E
4. B
5. $18.11
6. $54.04
7. $31.14
8. $22.62
9. 357
10. 18,880
11. 2
12. 5
13. $46.18
14. $63.20
15. $0.57
16. B
17. A
18. 36
19. 38 inches
20. 10 inches
21. 6 yards
22. $15.40

Practice 89

a. B
b. $40.96
c. 19,155

d. $\frac{4}{5}$
e. $\frac{2}{7}$

Problem Set 89

1. True
2. False
3. C
4. 1,010; 865; 859
5. D
6. $44.94
7. $22.11
8. $10.97
9. 1,674
10. 12,255
11. $81.15
12. $0.32
13. $\frac{2}{7}$
14. $\frac{2}{9}$
15. $\frac{3}{5}$
16. $\frac{1}{3}$
17. $\frac{1}{4}$
18. $\frac{3}{7}$
19. Yes
20. No
21. 64 square yards
22. 112 square feet

Practice 90

a. $22.34
b. 7,266
c. Yes
d. $\frac{11}{8}$
e. C

Problem Set 90

1. True
2. True
3. $53.82
4. $19.22
5. $11.62
6. 2,155
7. 6,294
8. 5
9. 10
10. $64.12
11. $0.54
12. $\frac{6}{7}$
13. $\frac{5}{6}$
14. $\frac{1}{5}$
15. $\frac{4}{9}$
16. No
17. Yes
18. $\frac{5}{3}$
19. $\frac{9}{8}$
20. 24
21. 21 feet
22. A

Practice 91

a. E
b. $24.96
c. 18,894
d. 61
e. $2\frac{4}{5}$

Problem Set 91

1. True
2. True
3. C
4. D
5. C
6. $66.95
7. $23.92
8. 1,887
9. 15,106
10. E
11. B
12. $100.49
13. $0.81
14. 22 feet
15. 55
16. $\frac{5}{6}$
17. $\frac{7}{8}$
18. $\frac{1}{5}$
19. $\frac{4}{9}$
20. $1\frac{1}{2}$
21. $1\frac{5}{6}$
22. $2\frac{2}{5}$

Quiz 13

1. True
2. True
3. 233
4. 378
5. $14.74
6. $78.35
7. $21.86
8. $42.93
9. $35.72
10. $91.11
11. $0.68

12. $0.43
13. $\frac{3}{8}$
14. $\frac{7}{9}$
15. $\frac{1}{5}$
16. $\frac{2}{7}$
17. $\frac{2}{9}$
18. No
19. Yes
20. $1\frac{1}{6}$
21. $1\frac{1}{8}$
22. $2\frac{3}{7}$
23. $69.49
24. D

Practice 92

a. 1,738
b. B
c. $32.63
d. $\frac{8}{3}$
e. $13\frac{1}{2}$ square inches

Problem Set 92

1. True
2. True
3. 1,629
4. Odd
5. C
6. $57.31
7. $21.82
8. 114
9. 6,318
10. Yes
11. No
12. $57.36
13. $0.14
14. $\frac{6}{7}$
15. $\frac{5}{8}$
16. $\frac{1}{6}$
17. $\frac{2}{9}$
18. $\frac{3}{2}$
19. $\frac{7}{3}$
20. $25\frac{1}{2}$ square inches
21. $24\frac{1}{2}$ square inches
22. $11\frac{1}{2}$ square inches

Practice 93

a. D
b. $85.89
c. $9.02
d. $21\frac{37}{100}$
e. $33.84

Problem Set 93

1. True
2. True
3. 4×16
4. B
5. $54.48
6. $32.41
7. 219
8. 2,084
9. $0.19
10. $2.03
11. $17.06
12. $34\frac{17}{100}$
13. $68\frac{93}{100}$
14. $\frac{3}{4}$
15. $\frac{2}{5}$
16. $\frac{5}{9}$
17. $1\frac{3}{4}$
18. $2\frac{5}{6}$
19. $17\frac{1}{2}$ square feet
20. $24\frac{1}{2}$ square feet
21. $10\frac{1}{2}$ square feet
22. $42.82

Practice 94

a. $42.74
b. $86.03
c. C
d. B
e. $39.09

Problem Set 94

1. False
2. True
3. D
4. E
5. $93.25
6. $42.25
7. $65.12
8. $1.07
9. $58.04

10. $70\frac{29}{100}$
11. $54\frac{13}{100}$
12. $\frac{4}{5}$
13. $\frac{3}{8}$
14. E
15. A
16. 18 feet
17. 28 yards
18. $16\frac{1}{2}$ square inches
19. 54 square inches
20. 8 feet
21. 10 yards
22. $68.25

Practice 95

a. $22.41
b. 14,364
c. $37.08
d. $44.13
e. E

Problem Set 95

1. True
2. True
3. 9:30 A.M.
4. A
5. $119.16
6. $51.54
7. 516
8. 11,124
9. $0.11
10. $7.05
11. $93.02
12. $28\frac{69}{100}$
13. $90\frac{83}{100}$
14. $\frac{7}{8}$
15. $\frac{1}{6}$
16. C
17. D
18. 38 feet
19. 39
20. $82.12
21. $71.52
22. A

Practice 96

a. $65.44
b. 42,567
c. B
d. $299.99
e. D

Problem Set 96

1. True
2. False
3. D
4. B
5. 42 square inches
6. $96.21
7. $40.71
8. 567
9. 35,427
10. $27.63
11. $5.09
12. $42.06
13. $6\frac{11}{100}$
14. $84\frac{59}{100}$
15. $\frac{5}{4}$
16. $\frac{8}{6}$
17. $\frac{12}{7}$
18. C
19. E
20. $42.31
21. $299.68
22. B

Practice 97

a. $41.81
b. 18,882
c. E
d. D
e. D

Problem Set 97

1. True
2. True
3. C
4. E
5. $91.16
6. $44.45
7. 1,668
8. 15,792
9. $0.13
10. $1.07
11. $52.02
12. D
13. A
14. $57.21
15. $245.95
16. C
17. B
18. E
19. E
20. C
21. 32 inches
22. 35 yards

Practice 98

a. $42.82
b. $\frac{16}{7}$
c. A

d. 108 inches
e. $32.11

Problem Set 98

1. False
2. False
3. $67.13
4. $21.65
5. $81.26
6. $5.03
7. $34.07
8. B
9. D
10. $13.22
11. $239.87
12. $\frac{5}{2}$
13. $\frac{7}{4}$
14. $\frac{13}{6}$
15. C
16. D
17. D
18. C
19. 12 inches
20. 72 inches
21. 96 inches
22. $55.15

Quiz 14

1. True
2. False
3. 1,587
4. B
5. $79.19
6. $23.78
7. $83.01
8. $9.06
9. $52.04
10. $28\frac{17}{100}$
11. $64\frac{89}{100}$
12. C
13. A
14. $71.54
15. $692.91
16. E
17. A
18. $\frac{9}{5}$
19. $\frac{18}{8}$
20. $21\frac{1}{2}$ square inches
21. $16\frac{1}{2}$ square inches
22. 36 inches
23. 84 inches
24. D

Practice 99

a. $61.73
b. 300 minutes
c. 168 hours
d. 96 months
e. $86.07

Problem Set 99

1. True
2. False
3. $88.62
4. $50.61
5. $8.09
6. $42.03
7. $56.11
8. $495.96
9. B
10. E
11. $\frac{5}{7}$
12. $\frac{4}{9}$
13. $1\frac{3}{5}$
14. $2\frac{5}{8}$
15. 24 inches
16. 48 inches
17. 120 inches
18. 240 minutes
19. 72 hours
20. 35 days
21. 84 months
22. $92.69

Practice 100

a. $23.57
b. 192 hours
c. 60 decimeters
d. 50 centimeters
e. 324 galaxy bots

Problem Set 100

1. False
2. False
3. $135.32
4. $36.52
5. $18.05
6. $93.08
7. D
8. A
9. 21 square yards
10. 66 square inches
11. $1\frac{2}{3}$
12. $2\frac{7}{8}$
13. 84 inches
14. 72 inches
15. 480 minutes
16. 216 hours
17. 42 days
18. 60 months
19. 40 decimeters
20. 80 decimeters

21. 90 centimeters
22. 148 books

Practice 101

a. $34.22
b. 144 hours
c. E
d. B
e. 660 valentines

Problem Set 101

1. False
2. True
3. 275
4. Even
5. $81.75
6. $17.45
7. $0.32
8. $34.02
9. $10.09
10. 12 yards
11. 5 inches
12. 36 inches
13. 420 minutes
14. 120 hours
15. 56 days
16. 48 months
17. 30 decimeters
18. 20 centimeters
19. B
20. D
21. C
22. 660 specimens

Practice 102

a. D
b. A
c. E
d. E
e. 142 appetizers

Problem Set 102

1. False
2. True
3. $156.17
4. $37.31
5. $20.05
6. $0.64
7. $1\frac{1}{5}$
8. $3\frac{7}{10}$
9. 360 minutes
10. 48 hours
11. 36 months
12. 70 decimeters
13. 40 centimeters
14. B
15. E
16. A
17. C
18. D
19. C
20. E
21. C
22. 122 peanut butter and jelly sandwiches

Practice 103

a. $41.82
b. 7,483
c. D
d. B
e. 5 cards

Problem Set 103

1. C
2. E
3. D
4. $81.03
5. $81.25
6. $23.75
7. 312
8. 7,686
9. 36 inches
10. 30 feet
11. 540 minutes
12. 96 hours
13. 49 days
14. 120 decimeters
15. 80 centimeters
16. D
17. E
18. B
19. E
20. D
21. E
22. 8 soldiers

Practice 104

a. $14.39
b. 3,312
c. 14
d. D
e. 7 platters

Problem Set 104

1. True
2. True
3. $89.44
4. $14.76
5. 315
6. 2,511
7. 14
8. 24
9. 19
10. 14
11. $2\frac{51}{100}$
12. $86\frac{49}{100}$
13. 180 minutes
14. 120 hours
15. 28 days
16. 20 decimeters
17. 110 centimeters

18. B
19. E
20. E
21. B
22. 9 boxes of volleyballs

Practice 105

a. $54.57
b. 17
c. 13 R1
d. D
e. 6 candies

Problem Set 105

1. True
2. False
3. $86.32
4. $47.09
5. 78
6. 2,135
7. 28
8. 24
9. 16
10. 26 R1
11. 12 R4
12. 16 R2
13. $\frac{4}{7}$
14. $\frac{3}{10}$
15. 48 inches
16. 63 days
17. 50 decimeters
18. 170 centimeters
19. B
20. C
21. B
22. 3 tanks

Quiz 15

1. True
2. False
3. $97.55
4. $59.21
5. 36
6. 13
7. 24
8. 35 R1
9. 23 R1
10. 12 R1
11. 480 minutes
12. 120 hours
13. 21 days
14. 108 months
15. 130 decimeters
16. 120 centimeters
17. $44.23
18. $234.28
19. A
20. D
21. D
22. C
23. E
24. 5 stuffed animals

Practice 106

a. 26
b. 23 R1
c. $\frac{8}{10}$ and $\frac{4}{5}$
d. B
e. 6 packs

Problem Set 106

1. True
2. True
3. $53.55
4. $31.36
5. 174
6. 7,456
7. 26
8. 18
9. 14
10. 37 R1
11. 15 R1
12. 12 R2
13. $\frac{1}{3}$ and $\frac{2}{6}$
14. $\frac{2}{4}$ and $\frac{4}{8}$
15. $\frac{6}{10}$ and $\frac{3}{5}$
16. 84 inches
17. 110 decimeters
18. 180 centimeters
19. E
20. E
21. D
22. 5 sacks

Practice 107

a. 11 R3
b. 13 R2
c. $\frac{4}{5}$
d. D
e. 5 coasters

Problem Set 107

1. True
2. True
3. $89.07
4. $84.95
5. 138
6. 8,340
7. 24
8. 19
9. 11 R3
10. 14 R1
11. $\frac{2}{3}$ and $\frac{4}{6}$
12. $\frac{6}{8}$ and $\frac{3}{4}$
13. $\frac{1}{4}$

14. $\frac{1}{3}$
15. $\frac{2}{5}$
16. 36 inches
17. 48 hours
18. 190 centimeters
19. $53.13
20. $378.88
21. D
22. 6 chairs

Practice 108

a. 14 R4
b. $\frac{2}{5}$
c. 20
d. $5\frac{3}{4}$
e. 8 packs

Problem Set 108

1. True
2. False
3. $96.52
4. $32.46
5. 292
6. 51,489
7. 14
8. 27
9. 17 R3
10. 24 R1
11. $\frac{1}{2}$ and $\frac{3}{6}$
12. $\frac{1}{4}$ and $\frac{2}{8}$
13. $\frac{1}{2}$
14. $\frac{1}{4}$

15. $\frac{2}{7}$
16. 15
17. 70
18. $7\frac{1}{2}$
19. $1\frac{1}{4}$
20. C
21. E
22. 9 packs

Practice 109

a. 12 R1
b. $\frac{6}{7}$
c. 12
d. $5\frac{3}{4}$ inches
e. 4 candles

Problem Set 109

1. $71.94
2. $12.62
3. 128
4. 3,843
5. 15
6. 27
7. 13 R5
8. $0.26
9. $54.08
10. $\frac{3}{4}$
11. $\frac{1}{5}$
12. $\frac{4}{5}$
13. 14
14. 55
15. $5\frac{1}{4}$ inches

16. $2\frac{3}{4}$ inches
17. $63.23
18. $379.54
19. 300 minutes
20. 96 hours
21. 70 days
22. 8 buggies

Practice 110

a. 897
b. 15 R1
c. $\frac{5}{7}$
d. $6\frac{1}{4}$ inches
e. 9 boxes

Problem Set 110

1. $99.63
2. $12.45
3. 714
4. 962
5. 2,028
6. 1,472
7. 14
8. 38 R1
9. 13 R5
10. $\frac{8}{9}$
11. $\frac{3}{11}$
12. $\frac{1}{5}$
13. $\frac{5}{6}$
14. 27
15. $7\frac{1}{4}$
16. $3\frac{3}{4}$ inches

17. $2\frac{1}{4}$ inches
18. 36 inches
19. 120 hours
20. C
21. D
22. 7 boxes

Practice 111

a. 1,825
b. 321
c. 237
d. $\frac{3}{5}$
e. 8 tires

Problem Set 111

1. $66.27
2. $21.41
3. 1,872
4. 3,038
5. 3,486
6. 26 R1
7. 213
8. 132
9. 216 R3
10. $\frac{1}{7}$
11. $\frac{3}{8}$
12. $4\frac{1}{3}$
13. $9\frac{4}{5}$
14. $4\frac{3}{4}$ inches
15. $3\frac{1}{4}$ inches
16. 56 days
17. 90 centimeters
18. B
19. E
20. B
21. A
22. 9 warships

Practice 112

a. 1,767
b. 135 R4
c. 37 teenagers
d. 21%
e. 7 boxes of Christmas balls

Problem Set 112

1. True
2. False
3. $86.55
4. $41.36
5. 735
6. 378
7. 3,276
8. 21
9. 27 R1
10. 162
11. 124 R1
12. $7\frac{3}{5}$
13. $12\frac{2}{3}$
14. 216 hours
15. 150 decimeters
16. 11 villagers
17. 13 members
18. $\frac{9}{100}$
19. $\frac{33}{100}$
20. 7%
21. 19%
22. 3 crates of shields

Quiz 16

1. False
2. False
3. $58.37
4. $27.25
5. 682
6. 3,692
7. 1,856
8. 29
9. 12 R3
10. 316
11. 213 R3
12. $\frac{1}{3}$ and $\frac{3}{9}$
13. $\frac{8}{10}$ and $\frac{4}{5}$
14. $\frac{1}{8}$
15. $\frac{2}{7}$
16. $2\frac{1}{2}$
17. $7\frac{2}{3}$
18. $4\frac{1}{4}$ inches
19. $473.72
20. $\frac{7}{100}$
21. $\frac{23}{100}$
22. 17%
23. 33%
24. 3 proton packs

Practice 113

a. 1,825
b. 234 R3
c. 0.06
d. 35
e. 9 boxes of cupcakes

Problem Set 113

1. True
2. False
3. $66.28
4. $36.71
5. 1,872
6. 2,790
7. 21
8. 39 R1
9. 124
10. 236 R1
11. 53 bulldogs
12. 27 ATV owners
13. $\frac{3}{100}$
14. $\frac{67}{100}$
15. 0.29
16. 0.03
17. 17%
18. 29%
19. 6
20. 12
21. 42
22. 8 packs of beef jerky

Practice 114

a. 481

b. $18\frac{1}{4}$

c. $172\frac{2}{5}$

d. 54

e. 7 tulips

Problem Set 114

1. True
2. False
3. $76.81
4. $38.27
5. 364
6. 595
7. $14\frac{1}{7}$
8. $15\frac{1}{4}$
9. $341\frac{1}{2}$
10. $164\frac{3}{5}$
11. 39
12. 140
13. 53 people
14. 93 quarterbacks
15. 0.15
16. 0.02
17. 39%
18. 21%
19. 9
20. 14
21. 24
22. 4 elite spider bots

Practice 115

a. 1,736

b. $232\frac{2}{3}$

c. 56

d. 900 miles

e. 212 origami figures

Problem Set 115

1. False
2. True
3. $79.78
4. $32.18
5. 1,575
6. 2,666
7. $223\frac{2}{3}$
8. $163\frac{1}{5}$
9. $365\frac{1}{2}$
10. $288\frac{1}{3}$
11. 36 inches
12. 240 minutes
13. $\frac{1}{2}$
14. $\frac{6}{7}$
15. 0.48
16. 0.05
17. 24
18. 45
19. 500 miles
20. 800 miles
21. 700 miles
22. 331 popcorn balls

Practice 116

a. 1,140

b. $133\frac{1}{6}$

c. $\frac{1}{6}$

d. 10 times

e. 948 edible items

Problem Set 116

1. True
2. False
3. $62.26
4. $13.23
5. 2,573
6. 1,190
7. $156\frac{1}{2}$
8. $138\frac{1}{3}$
9. $172\frac{1}{4}$

10. $143\frac{1}{5}$
11. 0.71
12. 0.04
13. 19%
14. 75%
15. 20
16. 56
17. 300 miles
18. 400 miles
19. $\frac{1}{2}$
20. $\frac{1}{6}$
21. 10 times
22. 639 crew members

Practice 117

a. $136\frac{3}{5}$
b. 20 times
c. C
d. E
e. 96 ribs

Problem Set 117

1. False
2. False
3. $61.17
4. $51.38
5. 230
6. 1,116
7. $17\frac{3}{4}$
8. $113\frac{1}{7}$
9. $145\frac{2}{5}$
10. $\frac{53}{100}$

11. $\frac{91}{100}$
12. 16
13. 36
14. 1,000 miles
15. 1,200 miles
16. $\frac{1}{6}$
17. 20 times
18. D
19. B
20. E
21. B
22. 82 cinnamon donut holes

Practice 118

a. 1,704
b. $143\frac{5}{6}$
c. 40 times
d. $3\frac{2}{3}$
e. 3 shelves

Problem Set 118

1. True
2. True
3. $87.47
4. $37.11
5. 1,528
6. 3,417
7. $15\frac{1}{3}$
8. $123\frac{1}{8}$
9. $133\frac{5}{7}$
10. 18
11. 63
12. 1,600 miles

13. $\frac{1}{6}$
14. 50 times
15. E
16. E
17. $\frac{1}{8}$
18. $\frac{3}{4}$
19. $1\frac{1}{4}$
20. $2\frac{2}{3}$
21. $3\frac{1}{2}$
22. 5 baskets

Practice 119

a. $241\frac{1}{4}$
b. $75.42
c. $16.24
d. $2\frac{1}{8}$
e. $29.85

Problem Set 119

1. $77.91
2. $33.94
3. $13\frac{1}{6}$
4. $134\frac{1}{5}$
5. $24.48
6. $92.68
7. $19.28
8. 53%
9. 70%
10. 60 inches
11. 192 hours
12. 20

13. 27
14. 600 miles
15. 10 times
16. 9 times
17. D
18. D
19. $1\frac{1}{5}$
20. $2\frac{1}{6}$
21. $2\frac{4}{7}$
22. $26.25
23. $2\frac{5}{7}$
24. 9 chairs

Quiz 17

1. False
2. False
3. 1,428
4. 2,337
5. $24\frac{2}{3}$
6. $341\frac{1}{2}$
7. $19\frac{4}{5}$
8. $136\frac{1}{7}$
9. $13.65
10. $20.52
11. $26.13
12. 0.85
13. 0.06
14. 49
15. 32
16. 1,400 miles
17. 1,700 miles
18. 30 times
19. 8 times
20. D
21. B
22. $2\frac{4}{5}$